JEUNESSE

Les Mille Chats de madame Emma

Les Mille Chats
de madame Emma

NATHALIE FREDETTE

ILLUSTRATIONS : OKSANA KEMARSKAYA

QUÉBEC AMÉRIQUE Jeunesse

Données de catalogage avant publication (Canada)

Fredette, Nathalie
Les Mille Chats de madame Emma
(Bilbo jeunesse ; 107)
ISBN 2-7644-0148-5
I. Titre. II. Collection.
PS8561.R375M54 2002   jC843'.6 C2002-940001-5
PS9561.R375M54 2002
PZ23.F73Mi 2002

Nous reconnaissons l'aide financière du gouvernement du Canada par l'entremise du Programme d'aide au développement de l'industrie de l'édition (PADIÉ) pour nos activités d'édition.

Gouvernement du Québec – Programme de crédit d'impôt pour l'édition de livres – Gestion SODEC.

Les Éditions Québec Amérique bénéficient du programme de subvention globale du Conseil des Arts du Canada. Elles tiennent également à remercier la SODEC pour son appui financier.

Québec Amérique
329, rue de la Commune Ouest, 3e étage
Montréal (Québec) H2Y 2E1
Téléphone: (514) 499-3000, télécopieur: (514) 499-3010

Dépôt légal : 1er trimestre 2002
Bibliothèque nationale du Québec
Bibliothèque nationale du Canada

Révision linguistique : Diane Martin
Montage : Andréa Joseph [PAGEXPRESS]
Réimpression: novembre 2003

© 2002 Éditions Québec Amérique inc.
www.quebec-amerique.com

À Alice

Un petit déjeuner au goût amer

Comme tous les samedis, Camille mange un croissant avec de la confiture d'abricots, sa préférée. Une petite boule de poils noire et blanche est assise bien sagement à ses côtés : il s'agit de Merveille, son jeune chat.

Gauche, droite. Gauche, droite. Merveille remue la queue. Sa maîtresse le taquine en lui offrant un bleuet. Merveille déteste les fruits. Les légumes aussi, d'ailleurs. Sauf les asperges. L'autre jour, il en a mangé une pleine assiette : quelle idée !

—Je t'adore, dit Camille en donnant un baiser à son chat. Tu es si mignon. N'est-ce pas, maman?

Plongée dans son journal, les lunettes sur le bout du nez, sa mère n'a pas entendu. Tant pis. Camille rigole et offre un autre bleuet à Merveille: un petit bout rose sort de sa bouche. Son chat tire la langue!

—Incroyable! s'esclaffe-t-elle.

Merveille renifle encore le petit fruit et secoue la patte.

—Un vrai clown!

«Quelle joie d'avoir un chat!» pense Camille. Ça, c'est avant qu'un bruit terrible fasse trembler les murs:

—AAATCHOUMMM!... AAATCHOUMMM!

Dumbo l'éléphant éternue comme une souris en comparaison du père de Camille. Ce dernier se met à tousser et cherche la petite pompe qui l'aide à respirer. Depuis que Merveille a perdu son pelage de bébé, doux comme de la peluche, le papa de Camille a des crises d'allergie. Aïe! Camille craint le pire.

—Ce n'est plus possible, il faut donner Merveille, annonce son père entre deux quintes de toux.

Le monde de Camille s'effondre. Merveille saute par terre et se couche sur le tapis, la tête contre le sol, la mine défaite.

—Papa, Merveille est mon seul ami!

La mère de Camille lève enfin les yeux.

—On n'abandonnera pas Merveille... On lui trouvera une autre famille, dit-elle en

posant sa main sur le bras de sa fille.

—Il fallait savoir AVANT que papa était allergique! ajoute Camille, les larmes aux yeux.

—Je suis désolé... Essaie d'être raisonnable, dit son père, la voix enrouée.

Le père de Camille a tout fait pour s'habituer à la présence de Merveille. Mais il dort de plus en plus mal et il a de la difficulté à respirer. Ses yeux sont rouges et son nez est toujours bouché.

—J'essaie de savoir si quelqu'un veut adopter Merveille?

Camille n'a jamais entendu une phrase aussi dure. Le cœur rempli de tristesse, elle accepte et regarde Merveille d'un air navré. Sa confiture d'abricots n'a plus le même bon goût sucré.

À l'école

« Déjà un chat... Jamais à la maison... Partis en voyage... Mon divan, mon tapis... » Personne ne veut adopter Merveille!

Du côté de la famille, c'est la même chose: la marraine de Camille va avoir un bébé... Son oncle possède deux gros chiens qui détestent les chats... Quant à son grand-père, depuis la mort de sa femme, il n'a plus le goût de rien.

Horreur! Ses parents lui suggèrent de demander aux garçons et aux filles de sa classe, à l'école. Facile à dire! Camille est très timide et n'a pas encore d'amis. L'idée de parler devant la classe la terrorise. «Pensons à Merveille», se dit-elle pour se donner du courage.

Avant le début du cours, madame Castonguay discute dans le corridor avec un autre enseignant. Camille en profite et se dirige vers le tableau noir.

—S'il vous plaît, dit-elle en s'éclaircissant la voix alors que ses joues se colorent déjà de rouge, j'aimerais avoir votre attention.

«Ha!» Un rire éclate au fond de la classe: c'est André Richard, une vraie crapule celui-là.

—Tu te prends pour un professeur ou quoi? «S'il vous plaît, j'aimerais avoir votre attention», répète-t-il en changeant sa voix, le nez pincé.

Camille continue, encore moins sûre d'elle:

—Pour ceux que ça intéresse, j'ai un petit chat à donner. Merveille, c'est son nom. Voici sa photo.

Plusieurs élèves s'approchent. «Après tout, peut-être que papa et maman ont eu une bonne idée...» Sapristi! À cet instant, André Richard arrache la photo des mains de Julie Trudeau-Tremblay.

—Pouah! Tu parles d'une merveille! Une merveille avec une oreille amochée... c'est nul... il est vraiment laid! se moque-t-il méchamment.

La plupart des garçons et plusieurs filles éclatent de rire. Camille est rouge de honte et de colère.

Une simple oreille repliée, et on ne veut plus de son chat!

Elle l'a toujours trouvée mignonne, elle, cette oreille.

—Bande d'idiots! Merveille est tellement gentil. Il a peut-être une oreille amochée... mais vous, vous n'avez rien entre les oreilles!

Le silence règne dans la classe. «Adieu, les nouveaux amis! Plus personne ne me parlera maintenant. Changer d'école, quel malheur!» pense-t-elle en retournant à son pupitre, humiliée.

—T'as raison, ils sont stupides, dit Chloé Samuel, la fille la plus populaire de la classe.

Camille se tourne, reconnaissante:

—Merci.

—Fais pas attention... Des vraies tartes... Je l'aurais pris, moi, ton Merveille. Mais ma mère a horreur des chats. Il y en a un qui l'a griffée dans le dos. Alors, tu imagines…

—Dommage.

Chloé regarde de nouveau la photo de Merveille.

—Il est trop «kiou-tte»!

Camille hésite. Puis, elle se décide:

—Aurais-tu envie de venir le voir, chez moi, samedi?

La menace
de la SPCA

Chouette! Le soleil brille et le vent souffle tout doucement. C'est la plus belle journée de l'automne.

Par la fenêtre, la mère de Camille regarde sa fille et la nouvelle amie de celle-ci qui s'amusent dans les feuilles avec Merveille. On dirait qu'elles sont copines depuis toujours.

—On ramasse les plus belles, OK?

—Ah! regarde cette rouge!

Vroum! À toute vitesse, Merveille file dans le tas de feuilles. On ne voit plus que le bout de sa queue. Non, ce n'est pas une mouche qui l'a piqué, Merveille se raconte des histoires. Tordue de rire, Camille attrape son chat et le tend à Chloé. Le petit malin ronronne quand elle le caresse sous le menton.

—A-do-ra-ble, dit Chloé.

—J'étais certaine que tu l'aimerais.

Ce moment comble de joie Camille. Pourtant, elle ne peut s'empêcher de penser que ses parents vont peut-être confier Merveille à la Société pour la prévention de la cruauté envers les animaux.

—J'ai peur que mes parents le donnent à la SPCA.

—Plein de gens vont y chercher des animaux… Mon cousin Olivier a adopté un terrier blanc, comme Milou.

—Tu sais ce qui arrive à ceux qui ne trouvent pas de nouveaux maîtres?

—Je sais, avoue Chloé en baissant la tête.

—Si personne ne veut de Merveille à cause de son oreille, tu imagines?

Camille pense à la carte du jeu de tarot qui représente la Mort: un squelette tenant une grande faux, comme celle qu'on utilise pour couper le foin…

Voyant son amie découragée, Chloé essaie de la rassurer:

—Je parie que Merveille sera adopté par une super famille.

Camille esquisse un sourire triste. Elle voudrait que son amie dise vrai.

▲ ▲ ▲

Est-ce parce que le ciel s'est assombri? On dirait maintenant que tout va de travers.

Après le départ de Chloé, la mère de Camille entre dans sa chambre:

—Tu veux mettre ta robe verte ou ta bleue?

—Ah non!

Camille avait oublié: ses parents reçoivent des collègues de bureau. Soirée pénible à l'horizon!

Deux heures plus tard, elle s'ennuie à mourir. Personne ne fait attention à elle. Sauf pour poser des questions embarrassantes. «Et ta nouvelle école, elle te plaît?... Je suppose que tu as déjà un petit ami?»

Juste avant les éclairs au chocolat, une grosse dame veut la convaincre que les animaux sont bien traités à la SPCA. Ses

énormes fesses débordent de chaque côté de la chaise, et son corsage risque d'exploser à tout moment.

—Et patati et patata. Protection, mon œil! lance la jeune maîtresse de Merveille aux invités.

Les yeux de la grosse dame sont ronds comme des ballons.

—Tu t'excuses tout de suite! arrive à dire son père.

Catastrophe! Sans excuses, sans dessert, Camille court se réfugier dans sa chambre. Merveille la suit.

—Mon cher minou. Je n'ai même plus confiance en papa et maman, dit-elle en caressant son chat sous le menton, comme le faisait Chloé cet après-midi.

« Ma maîtresse est malheureuse. Elle a besoin de

s'amuser », pense Merveille. Il se roule sur le dos, la tête à l'envers. D'un coup de patte, il attrape son lacet.

—Ah! mon petit coquin, tu veux jouer?

Un sourire apparaît enfin sur les lèvres de Camille.

▲ ▲ ▲

Pendant la nuit, tourne et retourne. Camille a un sommeil agité. Elle fait un mauvais rêve. Un mauvais rêve? Un cauchemar terrifiant, oui! Des méchants enferment Merveille dans un cercueil minuscule et l'enterrent vivant! Le pauvre chat miaule de toutes ses forces. Personne ne l'entend.

—Arrêtez! hurle-t-elle dans son sommeil. Maman!

Camille fait une fugue

Les journées passent. Toujours pas de famille en vue pour Merveille. «Pas question de donner mon ami à la SPCA! Je me sauve avec lui», décide Camille alors que sa mère s'absente de la maison pour faire une course.

«Où aller? Chez Chloé? Je ne sais pas où elle habite. En plus, sa mère déteste les chats.»

«J'ai trouvé : Caroline et Suzie!» Ce sont deux amies de ses parents chez qui elle aime aller dormir.

Dans son sac à dos, notre fugueuse glisse quelques

vêtements. De sa tirelire, elle retire neuf dollars et vingt-cinq sous : toute sa fortune.

Merveille regarde sa maîtresse, intrigué.

— En route pour une grande balade, mon cher. Nous allons chez Caroline et Suzie, en métro.

Camille essaie d'avoir l'air brave. Elle a déjà fait le trajet plusieurs fois avec sa mère, mais jamais seule.

—Vite, il faut partir avant que maman revienne.

▲ ▲ ▲

Camille passe le tourniquet du métro, une curieuse bosse sous son manteau. Le préposé qui a compté son argent s'est dit qu'elle était bien grosse, cette petite.

Bientôt, les portes du wagon se referment. «Tou dou dou…»

Camille frissonne en entendant la petite musique du métro quittant la station.

Toutes sortes d'histoires à propos d'enfants kidnappés lui trottent dans la tête… Son imagination lui joue des tours. Sous le manteau, Merveille n'a pas l'air de se sentir en sécurité, lui non plus.

—Courage, n'aie pas peur, dit-elle à son ami pour le rassurer.

Merveille se blottit contre sa maîtresse.

—On descend à la prochaine station. On monte les escaliers mécaniques et on traverse deux rues. Puis, c'est chez Caroline et Suzie.

«Pourvu que je ne me trompe pas», pense-t-elle.

▲ ▲ ▲

PPPUUUTTT! PPPUUUTTT! Un automobiliste freine brusquement devant une fillette surgie de nulle part. Quand il sort de sa voiture, Camille a disparu dans le noir.

Au bord des larmes, elle sonne enfin à la porte des amies. C'est Suzie qui ouvre. Camille est si contente de la voir! Cela lui redonne du courage.

—Est-ce que vous pouvez nous garder?

—Entre, ma chouette. Tes parents te cherchent partout. As-tu faim?

Caroline et Suzie écoutent le récit de Camille pendant que Merveille, alias beau minou, boit un grand bol de lait. Hélas! elles ne peuvent pas adopter Merveille, car elles s'en vont bientôt pour plusieurs mois.

—Ton père et ta mère sont morts d'inquiétude, laisse-moi les appeler, dit Suzie. Ils ne donneront pas ton beau minou à la SPCA, je les connais.

—Vous dormirez ici, ajoute Caroline. Il faut vous reposer… Si tu veux, on peut lire une histoire.

—Avec Merveille?

—Avec Merveille, répète Caroline en posant un baiser sur les cheveux de Camille.

Un espoir
dans le journal

Le lendemain, Caroline et Suzie ramènent Camille chez elle. En auto, pas en métro! Elles chantonnent en rigolant: «Tou dou dou…»

Quand Camille arrive à la maison, son grand-père est là. Bougon, il lui fait la leçon. «Tu aurais pu te perdre! Tu as pensé à tes parents?» Etc., etc.

Son grand-père semble toujours de mauvaise humeur. «C'est parce qu'il vit seul et qu'il n'a plus d'amis», lui a déjà expliqué sa mère.

— Grand-papa ne rit jamais, avait dit Camille.

—Il faut le comprendre, ma chérie.

Peut-être que son grand-père s'est inquiété pour elle... En tout cas, Camille doit avouer qu'elle est heureuse de retrouver ses parents.

▲ ▲ ▲

Vingt-quatre heures plus tard. Dring! Le téléphone. C'est Suzie. Comment décrire sa voix? Fière? Joyeuse? Excitée?

Camille tend le combiné à sa mère. Son petit doigt lui dit qu'il va être question de Merveille.

Que raconte donc Suzie? La mère de Camille s'enroule distraitement dans le fil du vieux téléphone.

—Ah! oui? Tu crois? On peut essayer... C'est vrai...

Brûlant d'impatience, Camille explose :

— Maman ! Je veux savoir !

Enfin, sa mère raccroche. Ses yeux brillent.

— On a peut-être trouvé une solution pour Merveille, dit-elle. Je dois appeler une certaine madame Emma.

— Madame Emma ? répète Camille.

— La dame a placé une petite annonce dans le journal. Elle cherche un partenaire financier pour fonder un refuge pour les chats. Selon Suzie, elle pourrait adopter Merveille.

— Qui sait ? Si elle aime les chats…

▲ ▲ ▲

« Soixante-cinq ! Elle adore vraiment les chats ! C'est peut-être "l'adoptrice" idéale», pense Camille, qui n'est pas certaine que ce mot existe.

Sa mère vient d'appeler cette madame Emma. Le nombre de chats a surpris toute la famille rassemblée dans le salon.

—Madame Emma m'a demandé le nom de Merveille. «Mmmmerveille», a-t-elle redit en semblant satisfaite…

—On va la rencontrer?

Chez madame Emma

—Vous avez vu cette oreille repliée ? Comme il est mignon !

« Un point pour madame Emma », se dit Camille en regardant son chat avec un sourire complice. N'empêche. La jeune maîtresse de Merveille se demande si c'est vraiment une bonne idée d'être ici.

Madame Emma possède-t-elle un détecteur de pensées ? Après avoir serré la main des parents, elle propose un marché à Camille :

—C'est l'heure de rentrer les chats dans la grange pour

la nuit. Je les appelle et je vous les présente: si tu as l'impression que Merveille ne sera pas en agréable compagnie, tu n'as qu'à me le dire... sans gêne, d'accord?

—D'accord.

Madame Emma monte sur un tabouret rouge et appelle ses chats:

—Petits, petits, petits.

Un seul mot, répété trois fois, et voilà une foule de chats qui accourent de toutes les directions. C'est une formule magique ou quoi? Camille et Merveille n'en croient pas leurs yeux. Des dizaines de chats défilent devant eux.

Madame Emma fait les présentations. Rapidement bien sûr, car soixante-cinq chats qui se pressent à l'entrée d'une grange, ça va vite!

—Pour commencer, voilà Minou, le premier chat que j'ai adopté… Et puis Minestrone et Mortadelle, deux chats qui vivaient chez un vieil Italien.

—Enchantée, dit Camille en leur souriant.

—Cette petite chatte que tu vois, c'est Mimosa, qui sent toujours bon… Et Minaret… Ah! je te présente aussi Minimum et Maximum, les deux inséparables. Suivis de Monfilou, mon garnement préféré. Et Magot, qui ramène toujours à la maison des trouvailles fabuleuses.

—Vous en avez de la chance! laisse échapper Camille, séduite.

—N'est-ce pas? répond madame Emma en faisant un clin d'œil à Merveille.

—Attention, en voilà plusieurs, prévient Camille.

—Voici Maestro… Maladroit… Miam… Moustache… Moutarde… Mille Milles… Monseigneur et Mignonne.

Camille les salue de la main et s'accroupit pour caresser la jolie petite siamoise gris bleuté qui s'avance vers elle. Merveille a un drôle d'air…

—Je vous présente la gentille Myrtille. Elle est avec nous depuis deux semaines seulement. Et voici Malcommode, grincheux comme pas un celui-là… Moustique… Moussaka… Motus… Monokini et Monopoli.

Tous les chats qui passent sous les yeux de Camille et de Merveille sont sympathiques. Même Malcommode a un air bourru très comique.

Glouc! Camille avale avec difficulté : deux gros matous

foncent sur elle, les poils de l'échine hérissés! Celui qui est aussi noir qu'une corneille grogne très fort. Merveille se réfugie sous le blouson de sa maîtresse. Pauvre petit!

—Ne vous en faites pas. Ils ont l'air méchant, mais ce sont deux vraies poules mouillées! Ils s'appellent Mitraille, l'ancien chat d'un militaire, et Molosse, un gros matou inoffensif qui se prend pour un chien de garde.

—Ah bon!

Soudain, c'est au tour de madame Emma de changer d'attitude. Elle redresse ses épaules, passe la main dans ses cheveux et tire les manches de son pull. Cérémonieuse, elle annonce:

—Majesté... Milord et Milady... Marquis et Marquise.

En baissant la voix, elle

ajoute à l'attention de Camille :

— Notre famille royale. Majesté a tant de panache qu'il arrive que je le nomme Sa Majesté. Quant à Milord et Milady, ils sont un peu snobs et prétentieux… Comme Mégalo, que voici.

« Des chats prétentieux ! » Découragée par les confidences de madame Emma, Camille regarde Merveille. Encore une fois, le détecteur de pensées se déclenche :

— Rassurez-vous, mes chats sont quand même courtois… Vous voyez le chat caramel qui laisse passer Minus, le chaton blanc avec trois taches noires ? Eh bien, c'est Merci. Un chat fort bien élevé. Et surtout très gentil.

Éclair de génie ! Tout à coup, le regard de Camille s'illumine :

—Attendez… Minus, Merci, Mégalo, Minou, Majesté… Tous les chats que vous adoptez ont un nom qui commence par un *M*!

Madame Emma a un sourire énigmatique. Elle poursuit, sans fournir d'explication. M comme… mystère!

—Ah! Voici mes compagnons de salon: Métronome bat la mesure avec sa queue quand je joue du piano… Mélodie miaule divinement… Millefeuille s'installe sur mes genoux quand je lis… Miaou, le bavard, me fait la jasette… Quant à Mélo et Mélancolie, il faut prendre soin d'elles…

« Avec autant de chats, impossible de s'ennuyer, même quand on est vieux. Si seulement grand-père… » Cette fois, le détecteur ne fonctionne pas.

Sans soupçonner les pensées de Camille, madame Emma continue:

—J'ai l'honneur de vous présenter Mamie et Mémé, les plus vieilles chattes de la maison, toujours prêtes à surveiller les petits pour moi.

—Et des tout petits, vous en avez beaucoup?

—Regardez, les voici: il y a Mine, Minet, Minette et Minoune, leur maman. Puis Méli-Mélo, qui met tout sens dessus dessous. Mambo... Merguez... Mélasse et Mange-tout... Menotte, avec ses toutes petites pattes. Enfin, Moquette, qui a la fâcheuse habitude de faire pipi... un peu partout.

Camille éclate de rire. Comme Merveille, elle est

enchantée de faire la connais-
sance de tous ces chats. Dis-
crets jusqu'à maintenant, ses
parents s'approchent.

—Eh bien, crois-tu que
Merveille sera heureux ici?

—La parade des minous
n'est pas encore finie! Laissez-
nous nous amuser. Voulez-
vous continuer la présentation,
s'il vous plaît, madame Emma?

—Certainement, très chère.
Voici Melba... Melon... Mani-
tou... Mitaine et Marabout. La
petite chatte jaune là-bas, c'est
Marmelade.

—Et les deux gros chats
tigrés?

—Ce sont Mardi et Mer-
credi. Ils sont arrivés chez moi
un...

—Un mardi et un mercredi!
ajoute vite Camille en riant.

Au loin, trois matous font des cabrioles et ne sont pas pressés de rentrer.

—Allez, le trio des coquins! Marcus... Merlot et, le retardataire des retardataires, Murmure. Celui-là, il fait exprès pour traîner. Il dort souvent avec moi, son museau humide contre mon oreille.

—Ils sont tous là?

Madame Emma fronce les sourcils, ferme un œil, réfléchit quatre ou cinq secondes:

—Hum! ce n'est pourtant pas dans ses habitudes... Ah te voilà, toi! Finalement: Marmite, qui a toujours le nez dans mes...

—Marmites! répondent en chœur Camille et ses parents.

Croyez-le ou non, même Merveille pousse un joyeux miaulement auquel répondent tous les chats rassemblés dans la grange!

— Vous les connaissez tous par leur nom? demande Camille, vraiment surprise.

— Bien sûr... Tu ne crois pas que ce serait pareil pour toi si tu t'occupais de ces chats?

— Oh oui! Vous avez raison.

Une nouvelle vie pour Merveille

Pas de doute, madame Emma adore vraiment les chats. Merveille sera très bien ici.

Quand même, rien n'est plus triste que des adieux. Au moment de quitter son ami, Camille a les larmes aux yeux. Elle tend Merveille à madame Emma, qui le serre affectueusement contre elle.

—Ne sois pas inquiète, je vais prendre bien soin de lui.

—Sois sage, arrive à prononcer Camille alors que deux grosses larmes tombent sur ses joues.

Le père de Camille la prend dans ses bras pour la consoler, comme lorsqu'elle était bébé. De toute façon, Camille n'a pas le goût d'être grande aujourd'hui.

À travers la fenêtre de l'auto, les silhouettes de Merveille et de madame Emma disparaissent. Camille s'allonge sur la banquette et sanglote jusqu'à la maison, inconsolable. Ce grand

vide qu'elle ressent, va-t-il s'en aller un jour?

▲ ▲ ▲

«Des nouvelles! Je veux des nouvelles!» Camille n'y tient plus. Elle appelle madame Emma. Deux jours se sont écoulés depuis la séparation.

—Ton cher minou s'est fait plein d'amis. Au début, il trouvait la cour un peu grande. Il reniflait partout, revenait sur ses pas... Mais maintenant, ça va.

—Vous pensez qu'il s'ennuie quand même un peu de moi?

—Tu auras toujours une place dans son cœur, j'en suis certaine. Et tu peux venir le voir aussi souvent que tu veux.

Camille reste silencieuse un moment.

—Nous avons eu de la chance, Merveille et moi, de vous rencontrer.

—Tu sais quoi? Je crois que ton Merveille est amoureux de la jolie Myrtille...

Camille sourit. Elle avait remarqué que la petite siamoise grise aux reflets bleus avait impressionné Merveille.

«Myrtille... Le nom d'un petit fruit bleu... Comique, pour un chat qui n'aime pas les bleuets!» pense-t-elle en raccrochant.

Tout est bien qui finit bien

Branle-bas de combat. Camille, ses parents et Chloé aident madame Emma à déménager. La grande amie des chats a trouvé un partenaire intéressé à acheter une propriété pour accueillir les chats en détresse.

Le printemps est arrivé. En cueillant des lilas, madame Emma confie à Camille que son rêve est d'adopter... Mille chats!

—MILLE noms de chats qui commencent par un *M*? Tout un défi!

Au loin, une voix grave se fait entendre :

— Allez, assez jacassé. Venez nous aider, les deux pies.

C'est le fameux associé de madame Emma. Camille le connaît bien : il s'agit de son grand-père. Eh oui ! Il a rencontré la nouvelle maîtresse de Merveille en amenant sa petite-fille à la campagne... Coup de foudre ! Il est tombé amoureux !

Depuis, il est beaucoup plus heureux. Camille le trouve même très gentil. Quand il rit, il a des petits yeux malins qui étincellent.

La grande famille des minous de madame Emma emménage dans un endroit fabuleux. En voilà une histoire qui finit bien ! Camille s'en réjouit pour Merveille.

Ce n'est pas tout: à la fin de l'année scolaire, elle va passer ses vacances à la campagne, en compagnie de Chloé. Ensemble, elles prendront soin des chats avec madame Emma et son nouvel amoureux.

— Si votre rêve se réalise et que quelqu'un vous offre un autre chat après, vous allez refuser?

Madame Emma fait semblant de réfléchir sérieusement, mais elle laisse bientôt paraître un large sourire:

— Eh bien, nous trouverons un mille et unième nom!

AGMV Marquis

MEMBRE DE SCABRINI MEDIA

Québec, Canada
2003